LAS MEJORES RECETAS COSTA RICA

• Recetas y Food Styling: Tatiana Coto • Fotografías: Mike Blum •

JADINE

Dirección Editorial:
Raquel López Varela

Coordinación Editorial:
Antonio Manilla

Recetas y Food Styling:
Tatiana Coto

Fotografías:
Mike Blum

Colaboradores:
Hans Venier
Asdrúbal Leiva

Diseño de Cubierta:
Fernando Ampudia

Diseño Interior y Maquetación:
Maite Rabanal
Jorge Garrán Marey

Ediciones Jadine s.a.

www.edicionesjadine.com
E-mail: info@edicionesjadine.com
Apartado Postal: 13894-1000
San José, Costa Rica
Centroamérica

isbn: 978-84-241-0845-8
depósito legal: le: 1066 - 2007
printed in spain - impreso en españa

Editorial Evergráficas, s. l.
carretera León-La coruña, km 5
León (España)

www.everest.es
Atención al cliente: +34 902 123 400

PRESENTACIÓN

¿A qué sabe Costa Rica?

Mmmm... A veces sabe a lluvia fresca del bosque tropical... a sol, arena y mar... a frutas frescas... a ciudad... a montañas... ¿Cómo es que un país tan pequeño tiene sabores tan diversos?

Se podría decir que Costa Rica es como una "Olla de carne", hay de todo y todo mezclado. Tenemos tantos tipos de personas; geografías; climas y animales, rodeados de una exhuberante naturaleza y eso es como una "Olla de carne": verduras de varios tipos con carne, en una exquisita sustancia, cocinada a fuego lento.

Por eso debe de ser que los ticos tienen tanto sabor. Nuestra gente tiene sabor alegre, sabor cercano, jovial, amable, divertido y, como "en la variedad está el gusto", se puede decir que Costa Rica es un gran menú por disfrutar.

A veces nuestro país sabe a verde, porque aquí casi todo está rodeado de vegetación; montañas, llanuras y bosques tropicales. Cuando llueve, todo ese verde se vuelve más intenso, más profundo y en esos momentos no hay nada mejor que un buen café, una tortilla con queso y una cálida tertulia.

Otras veces el país se sirve caliente, como en las playas del Pacífico, donde un buen ceviche y una horchata bien fría, bajo la sombra de una palmera frente al mar, se convierten en una refrescante e incomparable receta.

Hay momentos en que el sabor de Costa Rica está aderezado con un paseo por el campo, con un buen chapuzón en el río, con una montada a caballo, con frijoles molidos con tortillas, picadillos, ensalada de caracolitos con atún y hasta con arroz con pollo.

En ocaciones el sabor tico es más como de ciudad, carros que van y vienen, gente trabajando, "casados" y "chileros". A los ticos nos gusta mucho el picante, de hecho se podría decir que los ticos somos muuuuy picantes, pero el chile pica más en la noche. Eso lo demuestran las pistas de baile, discotecas y cuanta fiesta popular haya, donde nos encontramos el sabor tico en su punto y el picante en su término más fuerte. Para esos momentos, nada como unas "bocas" de yuquitas, patacones, unos garbanzos con cerdo y, por qué no, una buena salsa o un merengazo.

Además de lugares, climas y antojos, de vez en cuando el país se llena con sabores de temporada y es cuando se pueden disfrutar creaciones como la crema de pejibaye, la lluvia de octubre, el helado de mango, la semana santa, el brindis con rompope en Año Nuevo y los abrazos... porque a los ticos nos gusta el calor... el calor humano, el calor del sol, el calor de nuestras comidas, pero sobre todo el calor de nuestra Costa Rica.

En fin, este país puede saber muy bien, pero la mejor forma de descubrirlo es probándolo.

Este libro es producto del esfuerzo de dos profesionales, que han querido dejar testimonio de algunos sabores ticos, para que usted se atreva a preparar y a disfrutar una Costa... Rica.

¡Buen provecho!

BEBIDAS

Ponche (Rompope)

INGREDIENTES PARA
6-8-TAZAS

1 litro de **leche**
3 **yemas de huevo** batidas
1 taza de **azúcar**
1 cucharada de **maicena**
1/4 taza de **agua**
2 astillas de **canela**
1 taza de **ron oscuro** o de **cognac**
1/4 cucharadita de **vainilla**

1. Esterilice las botellas en las que almacenará el rompope. Antes de verter el líquido enjuague con un poco de ron o cognac.

2. Ponga a hervir la leche con el azúcar y la canela. Cuando hierve se le agrega la maicena disuelta en el agua, se baja del fuego y se cuela (en un colador muy fino).

3. Agregue las 3 yemas de huevo batidas y devuelva al fuego moviendo constantemente (no debe llegar a hervir).

4. Deje enfriar moviendo de vez en cuando, estando completamente frío, se le agrega el ron y se embotella.

5. Refrigere y sirva muy frío.

Fresco de frutas

INGREDIENTES

Fruta pelada y picada (piña, papaya, carambola, mango, melón, sandía, mora, fresa, etc.)
Agua
Azúcar o **miel** de abeja para endulzar

1. Licúe la fruta.

2. Páselo por un colador (opcional).

3. Agregue agua y azúcar o miel al gusto.

4. Sirva con hielo.

Si desea puede combinar dos o más frutas diferentes. Si quisiera usar cítricos, exprima su jugo y siga el mismo procedimiento a partir del paso dos.

Horchata

INGREDIENTES PARA 5 TAZAS

1 taza de **arroz**
1 taza de **maní** pelado (limpio)
1 cucharada de **canela** en polvo
3 tazas de **agua**
Leche, vainilla y **azúcar** al gusto

1. Deje el arroz en las 5 tazas de agua desde la noche anterior.

2. Licúe el arroz con el maní y la canela, agregue leche y canela al gusto.

3. Sirva bien fría.

Resbaladera

INGREDIENTES PARA
10 TAZAS (2 1/2 LITROS)

1 taza de **arroz**
1/2 cucharada de **vainilla**
2 tazas de **agua**
2 cucharadas de **cebada** en grano
8 tazas de **leche**
2 astillas de **canela**
1/8 cucharada de **nuez moscada** rallada
Azúcar al gusto
Sirope de cola al gusto (opcional)

1. Ponga a cocinar el arroz con la canela, la cebada y la nuez moscada en el agua, déjelo en el fuego hasta que reviente el arroz, cuide que no se pegue.

2. Deje enfriar y licúe con un poquito de leche.

3. Cuele (en colador fino).

4. Agregue el resto de la leche, la vainilla, el azúcar y el sirope al gusto.

ENTRADAS

Ensalada de caracolitos con atún

INGREDIENTES PARA 4-6 PERSONAS

3 tazas de **pasta** (caracolitos)
1 taza de **atún** en aceite
1 taza de **mayonesa**
1 taza de **alverjas** (petit pois)
2 cucharadas de **culantro,** picado fino
1 **cebolla** mediana, picada fina
1 cucharada de **tallo de apio,** picado fino
3 cucharadas de **jugo de limón** ácido
1 cucharada de **mostaza**
1 cucharada de **aceite vegetal**
Sal al gusto

1. Ponga a cocinar los caracolitos en agua con el aceite y un poco de sal. Una vez listos escúrralos y lávelos en un colador con agua fría.

2. En un tazón grande mezcle todos los ingredientes juntos, se puede decorar con hojas de lechuga fresca y tomate a la hora de servir.

Esta ensalada se puede servir como guarnición de cualquier plato ya sea en el almuerzo o la cena.

Frijoles molidos con tortillitas

INGREDIENTES PARA 3 TAZAS

2 tazas de **frijoles** arreglados (según receta pág. 85)
1 cucharada de **aceite**
1/2 barra de **margarina**
Tomate pelado, sin semilla y rallado

Tortillitas
8-12 **tortillitas de maíz**
Aceite vegetal

1. Licúe los frijoles hasta que queden totalmente deshechos.

2. En un sartén grande derrita la margarina con el aceite. Vierta los frijoles y mueva para que no se peguen.

3. Pruebe la sazón, si se desea se puede agregar más salsa inglesa y/o sal.

4. Aparte, corte las tortillitas en cuatro, fríalas en aceite caliente en un sartén; una vez doradas, retírelas del sartén y póngalas sobre papel toalla para escurrirlas un poco antes de servir. Agrégueles sal si lo desea y sírvalas con los frijolitos.

Para espesarlos más o menos, agregue caldo de frijol cocinado o tomate rallado o deje secar por más tiempo a fuego lento y removiendo constantemente.

Patacones

INGREDIENTES PARA
6 PERSONAS

3 **plátanos** verdes
Sal al gusto
Aceite vegetal

1. Corte los plátanos en tres partes, corte la cáscara a lo largo y luego pélelos ayudándose con el cuchillo.

2. Córtelos en rodajas de 1 pulgada.

3. Póngalos a freír ligeramente en aceite bien caliente, sáquelos y aplástelos suavemente (puede usar el fondo de un vaso), póngalos a freír de nuevo hasta que doren.

4. Espolvorée sal en cuanto los retire del fuego.

Los patacones son servidos no sólo como entradas, sino también como bocas, suele acompañarse de frijoles molidos y/o guacamole. También se sirven acompañando algunos platos fuertes.

Ceviche

INGREDIENTES PARA
4-6 PERSONAS

1/2 k **corvina** sin espinas, en trocitos
2 cucharadas de **apio,** picado fino
3 cucharadas de **culantro,** picado fino
1/2 cucharada de **perejil,** picado fino
1 **cebolla** grande, picada fina
1 **chile dulce,** picado fino
6-8 **limones** ácidos
1/2 taza de **vinagre** blanco
3 hojas de **laurel**
Aceite vegetal
Pimienta y **sal** al gusto

1. Ponga el pescado en un recipiente de vidrio con todos los ingredientes. El pescado debe quedar cubierto por el líquido.

2. Déjelo en la refrigeradora, tapado, de un día para otro.

3. Sírvalo frío, acompañado de salsa rosada, salsa de tomate, picante, galletas de soda, patacones y/o aguacate.

Crema de pejibaye

INGREDIENTES PARA
6-8 PERSONAS

18 **pejibayes** (cocinados, pelados y picados muy finos)
6 tazas de **caldo de pollo**
2 tazas de **crema dulce**
1/4 taza de **mantequilla** o **margarina**
4 cucharadas de **harina**
2 **cebollas** picadas
3 hojitas de **laurel**
Sal y **pimienta** al gusto

1. Derrita la mantequilla o margarina y ponga a cristalizar la cebolla.

2. Agregue la harina poco a poco y luego el caldo de pollo, el laurel, la sal y la pimienta.

3. Licúe los pejibayes con esta mezcla, devuelva todo a la olla y cocine a fuego medio sin dejar de mover por 20 minutos, aproximadamente.

4. Baje un poco el fuego y agregue la crema dulce.

5. Ajuste el sabor a su gusto con sal y pimienta.

Yuca frita

INGREDIENTES PARA 8 PERSONAS

2 kilos de **yuca** pelada y picada en trozos medianos
1 cabeza de **ajos** pelados y picados
2 tallos de **apio** picados
Sal al gusto
Aceite vegetal

1. Ponga a cocinar la yuca en suficiente agua (que la cubra) con los ajos, el apio y la sal.

2. Una vez suave (sin que llegue a deshacerse), escúrrala y fríala en aceite bien caliente hasta que dore.

3. Si desea agréguele sal y sírvala inmediatamente.

4. Puede aderezarla con salsa rosada (mayonesa y salsa de tomate) o con aceite de oliva, preparado con ajo y perejil finamente picados.

Ensalada tica

INGREDIENTES PARA 4-6 PERSONAS

1 **lechuga** lavada
1 taza de **repollo morado** cortado en tiritas finas
1 **cebolla morada** cortada en aros
1 **chile dulce** en tiritas
2 **zanahorias** ralladas
1 **remolacha** cocinada y partida en trozos
1 **aguacate**

1. Rompa las hojas de lechuga en trozos con las manos (para conservar mejor su sabor, no use cuchillo).

2. Combine todos los ingredientes como guste y acompañe con jugo de limón ácido y sal y/o el aderezo de su preferencia.

PLATOS FUERTES

Olla de carne

INGREDIENTES PARA
8-10 PERSONAS

2 tazas de **costilla de res**
3 tazas de **lomo** o **pecho** de res
1 **cebolla** picada
1 **chile dulce** picado
2 ramitas de **apio** picadas
1 taza de **culantro** picado
1 cabeza de **ajo** picado
1 cucharada de **orégano** seco
1 cucharada de **tomillo** seco
Sal al gusto

VERDURAS

1 **chayote** tierno
3 **papas**
2 **zanahorias**
2 **camotes**
2 **elotes** blancos y/o amarillos
2 tazas de **yuca**
3 **guineos** y/o 1 **plátano** verde
1 taza de **ayote** sazón

1. Ponga a cocinar todo junto (excepto las verduras) en olla de presión a fuego alto, déjelo 30 minutos a partir del momento en que empiece a sonar (sale vapor), y baje un poco el fuego.

2. Pele y pique las verduras en trozos. Póngalas a cocinar todas juntas, menos el chayote y el ayote sazón, en agua con un poco de sal hasta que estén casi suaves.

3. Mezcle la carne con todas las verduras y deje cocinar hasta que se terminen de suavizar todas.

Picadillo de chayote con maíz

INGREDIENTES PARA 4-6 PERSONAS

2 **chayotes** tiernos, pelados y picados en cubitos
3 **elotes** blancos o amarillos
2 **cebollas** picadas
2 **chiles dulces** picados
5 dientes de **ajo** picados
1 tallo de **apio** picado
1 taza de **culantro** picado
1 taza de **posta de cerdo** en trozos
1/2 de cucharadita de **cúrcuma** o **achiote** (opcional)
Sal, pimienta y **comino** en polvo al gusto
Aceite vegetal

1. Sofría una cebolla, un chile dulce, 1/2 taza de culantro, los ajos y el apio; luego agregue la carne, sal, pimienta y comino, un asientito de agua y tápela para dejarla cocinar hasta que suavice a fuego bajo.

2. Aparte ponga a sofreír el resto de los olores, agregue el maíz y tape para dejar suavizar un poco el maíz; luego agregue el chayote, la carne y pruebe el punto de sal y pimienta. Tape y deje a fuego medio bajo y muévalo de vez en cuando, hasta que todo esté bien cocinado.

Garbanzos con cerdo

INGREDIENTES PARA
6-8 PERSONAS

CARNE

3 tazas de **posta de cerdo** en trocitos
6 lonjas de **tocineta** picadas
2 **cebollas,** 1 **chile** dulce
3/4 de taza de **apio,** 5 dientes de **ajo**
2 **tomates** pelados, sin semillas y rallados
1/2 taza de **culantro**
1 cucharadita de **tomillo** seco
1 cucharadita de **orégano** seco
Sal al gusto, **Aceite** vegetal

GARBANZOS

3 tazas de **garbanzos** crudos
1 **cebolla,** 1 **chile dulce**
1/2 taza de **apio,** 4 dientes de **ajo**
1/2 taza de **culantro, Sal** al gusto

1. Ponga la tocineta a freír con un poco de aceite en una olla grande a fuego medio, cuando ha soltado la grasa agregue la cebolla, el chile y el apio picados; cuando cristalicen añada los ajos picados y la carne, luego los tomates, el tomillo, la sal y el culantro; tápelo y déjelo cocinar a fuego lento hasta que la carne esté suave.

2. Deje los garbanzos en agua desde la noche anterior, al siguiente día escúrralos y póngalos a cocinar en olla de presión con todos los ingredientes juntos y agua que los sobrepase tres dedos. Cocínelos a fuego alto y déjelos 20 minutos a partir del momento en que la olla empieza a sonar (soltar vapor).

3. Mézclelos con la carne y póngalos a hervir por 10 minutos.

Pastel de yuca

INGREDIENTES PARA
6 PERSONAS

2 kilos de **yuca** pelada y picada en cubos medianos
2 tazas de **posta de cerdo** molida
4 **huevos**
1/2 taza de **queso** tierno
3 cucharadas de **margarina**
1 **cebolla** picada fina
1 **chile dulce** picado fino
1 tallo de **apio**
2 **tomates** pelados, sin semillas y picados
6 dientes de **ajo** picados
Sal y **pimienta** al gusto
Aceite vegetal

1. Cocine la yuca en agua con sal, una vez suave hágala puré. Agréguele la margarina, el queso y dos huevos enteros más una clara.

2. Aparte sofría los olores bien picaditos, agregue la carne, los tomates, un huevo duro picado, la sal y la pimienta.

3. En un molde previamente engrasado extienda la mitad del puré de yuca, posteriormente la carne y finalmente la otra mitad de la yuca, barnícelo con una yema de huevo y espolvoreé un poco del queso rallado.

4. Póngalo a dorarse en el horno.

Arroz con pollo

INGREDIENTES PARA
6-8 PERSONAS

2 **pechugas** deshuesadas y sin piel
4 **muslos** deshuesados y sin piel
1 cucharadita de **tomillo** seco
1 cucharadita de **orégano** seco
2 tazas de **arroz,** 1 taza de **alverjas**
2 **tomates** pelados, sin semillas y picados
2 **chiles dulces** picados
2 tallos de **apio** picados
6 dientes de **ajo** picados
2 **cebollas** mediana picadas
3 cucharadas de **margarina**
Sal y **pimienta** al gusto, **Aceite** vegetal
Cúrcuma al gusto (para darle color al arroz)

1. Adobe el pollo con los condimentos secos (tomillo, orégano y sal) y un poquito de aceite unas horas antes o, si es posible, desde el día anterior.

2. Sofría una cebolla, un chile dulce, una rama de apio, tres dientes de ajo y los tomates; luego agregue el pollo partido en pedacitos, vierta 1/2 taza de agua y tápelo, déjelo cocinar hasta que suavice moviendo de vez en cuando.

3. Aparte, cocine las alverjas hasta que suavicen un poco, pero no del todo, y reserve el agua. Derrita la margarina con una cucharada de aceite vegetal, sofría el resto de la cebolla, el chile dulce, el apio y los tres dientes de ajo, agregue el arroz y fríalo por 5 minutos más.

4. Agregue las alverjas escurridas, el pollo (con el caldo y los olores con que se cocinaron).Vierta en el arroz tres tazas del agua de las alverjas, si es necesario complete con agua. Cuando empiece a hervir tápelo y déjelo cocinar a fuego medio hasta que el arroz reviente. Se deja guacho o seco según el gusto.

Casado

INGREDIENTES PARA 1 PERSONA

1/2 taza de **arroz blanco** cocinado (ver receta en la página 84)
1/2 taza de **frijoles** arreglados (ver receta en la página 85)
1/2 taza de **picadillo** preparado (el de su preferencia, opciones en las páginas 34, 44, 50)
1/3 taza de **plátanos** maduros en gloria (ver receta en la página 66)
Ensalada (ver receta en la página 28)
Carne

1. La carne puede ser cualquiera, usualmente se sirve "bistec" encebollado, pollo en salsa, lengua en salsa, carne mechada, etc. La ensalada más típica para este plato se hace a base de repollo, zanahoria y tomate, aderezada con limón y sal y en algunas ocasiones salsa rosada.

El casado se compone básicamente de arroz, frijoles, plátanos, algún picadillo o incluso barbudos, macarrones (pasta), en algunas ocasiones estos últimos envueltos en huevo, alguna carne y alguna ensalada. Muchas veces incluso, se sustituyen el arroz y los frijoles por gallo pinto. Tradicionalmente se sirve en el almuerzo, todo junto en un mismo plato.

Picadillo de vainicas con zanahorias

INGREDIENTES PARA 4-6 PERSONAS

3 tazas de **vainicas**
2 **zanahorias** medianas
1 **cebolla** picada
1/2 **chile dulce** picado
3/4 taza de **culantro** picado
2 dientes de **ajo** pelados y picados
1 tallo de **apio** picado
Sal al gusto (1 cda aprox.)
Aceite vegetal

1. Lave y quítele las puntas a las vainicas, luego píquelas en rodajas gruesitas.

2. Pele y pique en cuadritos la zanahoria.

3. En una olla grande sofría los demás ingredientes en el aceite, y antes de que cristalice la cebolla agregue las vainicas y las zanahorias, sofría todo por un rato, tape y deje cocinar a fuego medio bajo, moviendo de vez en cuando, hasta que estén suaves las verduras.

En este caso no se ha añadido carne en la receta, lo cual lo convierte realmente en un guiso. Sin embargo, como en los picadillos de las páginas 34 y 50, podría perfectamente, siguiendo el procedimiento de dichas recetas, agregársele carne, para este picadillo específicamente. Utilice de preferencia carne de res (algún corte suave).

Barbudos

INGREDIENTES PARA
5 UNIDADES

30 **vainicas** (sin puntas y lavadas)
1 cucharada de **harina**
1/3 de taza de **aceite** vegetal
2 **huevos**
Sal al gusto

1. Ponga a cocinar las vainicas en agua con sal hasta que suavicen y escúrralas.

2. Aparte bata las claras a punto de nieve, agrégueles las yemas, la harina y la sal, revuélvalo hasta lograr una mezcla homogénea.

3. Forme grupos de 6 vainicas y envuélvalas en huevo, para freírlas en un sartén con el aceite caliente.

Gallo pinto

INGREDIENTES PARA 2-3 PERSONAS

1 1/2 tazas de **frijoles negros** enteros cocinados del día anterior (ver receta en la página 85)
2 tazas de **arroz blanco** cocinado (ver receta en la página 84)
1 **cebolla**
1/2 **chile dulce** rojo
4 cucharadas de **culantro**
3 dientes de **ajo**
2 cucharadas de **salsa inglesa**
3 cucharadas de **margarina**
Aceite vegetal
Sal al gusto

1. Fría la cebolla con el chile dulce picados en el aceite vegetal y la margarina, una vez que está casi cristalizado añada el ajo también picado; cuando empiece a verse un poco dorado agregue los frijoles y la sal, déjelos cocinar un rato a fuego medio hasta que se sequen un poco.

2. Finalmente agregue el arroz ya preparado y el culantro, se revuelve todo junto y se quita del fuego, se deja reposar tapado por 5 minutos antes de servir.

Este plato típico comúnmente suele servirse para el desayuno, sin embargo se come en cualquiera de las tres comidas y es la base de cualquiera de ellos; si es para desayunar se acostumbra acompañarlo de huevos (fritos o revueltos), pan, natilla, queso fresco y salchichón. Si se sirve en el almuerzo o la cena, generalmente como parte del casado, sustituye al arroz y los frijoles.

Picadillo de papa con chorizo

INGREDIENTES PARA 4-6 PERSONAS

1/2 kilo de **papas** peladas y picadas en trozos medianos
4 **chorizos** (puede sustituir o añadir algunos picantes)
1 **cebolla** picada
1 tallo de **apio** picado
1 **chile dulce** rojo, picado
2 cucharadas de **culantro**, picado
3 dientes de **ajo**, picados
Aceite vegetal
Sal al gusto

1. Ponga a cocinar las papas en agua que las cubra con un poco de sal, hasta que suavicen; escúrralas.

2. Aparte sofría la cebolla, el chile dulce y el apio en el aceite vegetal, una vez que están casi cristalizados se agregan el ajo y los chorizos. Con una cuchara de palo desmenuce el chorizo hasta que se vea "desmoronado", cocine a fuego medio alto hasta que esté bien cocido.

3. Agregue las papas y el culantro, mueva constantemente para que no se pegue, baje el fuego y deje hasta que las papas terminen de suavizar y tomen el sabor.

ADEREZOS

Chilero

INGREDIENTES PARA
2 1/2 TAZAS

6 **chiles jalapeños** lavados
1/2 **cebolla** mediana, picada en julianas
3/4 taza de **culantro** picado (opcional)
1/4 taza de **vinagre** blanco
5 **limones** ácidos (su jugo)
Sal al gusto

1. Pique en rodajas y/o mitades algunos de los chiles jalapeños, y otros déjelos enteros.

2. Mezcle todos los ingredientes y conserve en un envase de vidrio tapado.

Vinagreta de cebolla

INGREDIENTES PARA 6-8 PERSONAS

1/2 taza de **aceite**
1/4 taza de **vinagre** blanco
1/4 taza de **cebolla** picada
1/2 cucharada de **orégano** molido
Sal y **pimienta** blanca al gusto

1. Fría la cebolla en el aceite hasta que empiece a dorar.

2. Agregue los demás ingredientes y deje cocinar hasta que la cebolla cambie de color.

3. Deje enfriar y refrigere.

Escabeche

INGREDIENTES PARA 12 TAZAS APROXIMADAMENTE

4 **zanahorias** en julianas
1 **coliflor** en ramilletes
1 1/2 taza de **vainicas** en trozos de 1 pulgada
2 **cebollas** en aros
4 dientes de **ajo** triturados
1 **chile dulce** en tiras
2 cucharaditas de **sal**
1/3 taza de **aceite**
4 **clavos** de olor
3 hojas de **laurel**
4 hojas de **orégano**
1 1/2 taza de **vinagre** blanco
2 tazas de **agua**

1. Fría los ajos en el aceite y luego agregue 1/4 de taza de agua y las zanahorias, deje cocinar por 5 minutos.

2. Agregue la coliflor y las vainicas y, 5 minutos después, añada el vinagre y el agua restante junto con las especies.

3. Cocine a fuego lento por 1 hora aproximadamente, hasta que se suavicen las verduras.

4. Envase y refrigere.

POSTRES

Arroz con leche

INGREDIENTES PARA
6 PERSONAS

2/3 tazas de **arroz**
1 litro de **leche**
2 **yemas** de huevo
1 taza de **azúcar**
3 astillas de **canela**
Cáscara rallada de 1/2
limón ácido
1 lata de **leche**
condensada
Agua
Pasas (opcional)

1. Ponga el arroz en un recipiente con agua por 2-3 horas aproximadamente.

2. Escúrralo y mídalo, póngalo al fuego con igual cantidad de agua, agréguele la canela y déjelo a fuego medio y tapado hasta que reviente.

3. Agréguele la leche, las yemas batidas, el azúcar, la cáscara de limón y las pasas (opcional).

4. Déjelo a fuego medio bajo sin dejar de mover hasta que espese un poco, cuando esté suave el arroz, añada la leche condensada y muévalo unos 5 minutos más. Se sirve caliente o frío espolvoreado con canela en polvo.

Piononos de plátano maduro y frijoles

INGREDIENTES PARA 12-15 UNIDADES

6 **plátanos** maduros, sin puntas y partidos a la mitad
1 1/2 taza de **frijoles** molidos (ver receta en la pág. 18)
1 cucharada de **manteca**
1 1/2 tazas de **azúcar**
Canela en polvo al gusto
Aceite vegetal para freír

1. Cocine los plátanos con cáscara en agua con una taza de azúcar.

2. Cuando se esponjen (se salen de las orillas de la cáscara), quítelos del fuego y déjelos enfriar escurridos, pélelos y hágalos puré con la manteca.

3. Forme empanaditas rellenas con los frijoles molidos y fríalas en aceite bien caliente, empolvoréelos con azúcar y canela.

También puede rellenarlos con queso o con ambos (queso y frijoles molidos).

Plátanos maduros en gloria

INGREDIENTES PARA 8-10 PERSONAS

1/2 taza de **margarina**
1 1/2 taza de **azúcar**
1 cucharadita de **canela** molida
1/2 cucharadita de **nuez moscada** molida
1/4 cucharadita de **clavo de olor** en polvo
1 **limón** ácido
4-6 **plátanos** maduros en rodajas gruesas
2 tazas de **agua** o hasta cubrirlos
Vainilla al gusto

1. En un sartén ponga la mantequilla, 1 taza de azúcar, canela, nuez moscada, clavo de olor, jugo de limón ácido, vainilla y los plátanos, dórelos un poco.

2. Agregue el agua hasta cubrirlos; luego rocíeles el resto del azúcar.

3. Tápelos, bájeles el fuego y déjelos cocinarse hasta que se haya consumido el líquido y se caramelicen.

Helados de mango con coco

INGREDIENTES PARA 6-8 PERSONAS

2 tazas de **puré de mango** maduro (licuado y colado)
4 **yemas de huevo**
2/3 de taza de **azúcar molido** (tamizada)
1 cucharada de **jugo de limón** ácido
1/2 taza de **crema de coco**
1/2 taza de **crema dulce**

1. Mezcle el puré de mango con el jugo de limón, la crema de coco y la crema dulce.

2. Aparte, ponga las yemas de huevo y el azúcar glas en un recipiente resistente al calor en baño maría, bata un poco hasta que espese; retire del fuego y siga batiendo hasta que enfríe. Vierta esta última a la mezcla de mango poco a poco moviendo con una cuchara de metal.

3. Pase todo a un molde rectangular (con capacidad para 1 litro). Cubra con papel de aluminio y se deje en el congelador hasta que esté casi congelado por completo.

4. Ráspelo con una cuchara y páselo a un procesador de alimentos o a otro recipiente para batirlo a alta velocidad, hasta que quede suave.

5. Viértalo de nuevo en el molde anterior para llevarlo al congelador por toda una noche.

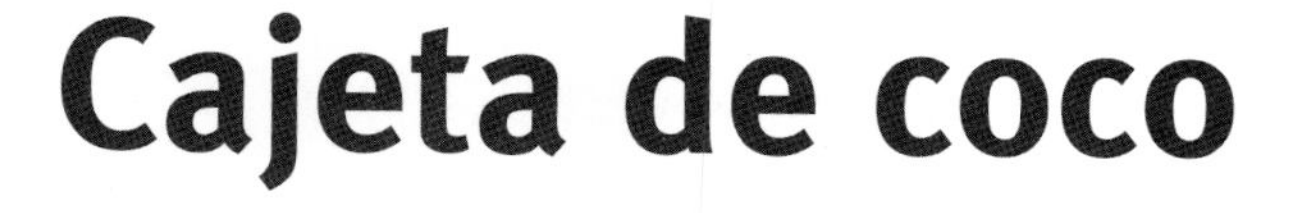

Cajeta de coco

INGREDIENTES

2 **cocos** rallados
6 tazas de **azúcar moreno**
1 taza de **agua** o **leche**

1. Ponga al fuego el azúcar con el agua o la leche y revuelva constantemente hasta formar un sirope.

2. Añada el coco y siga revolviendo hasta que esté pegajoso.

3. Extiéndalo mientras esté caliente sobre un molde o tabla con papel encerado. Deje enfriar y corte en cuadritos.

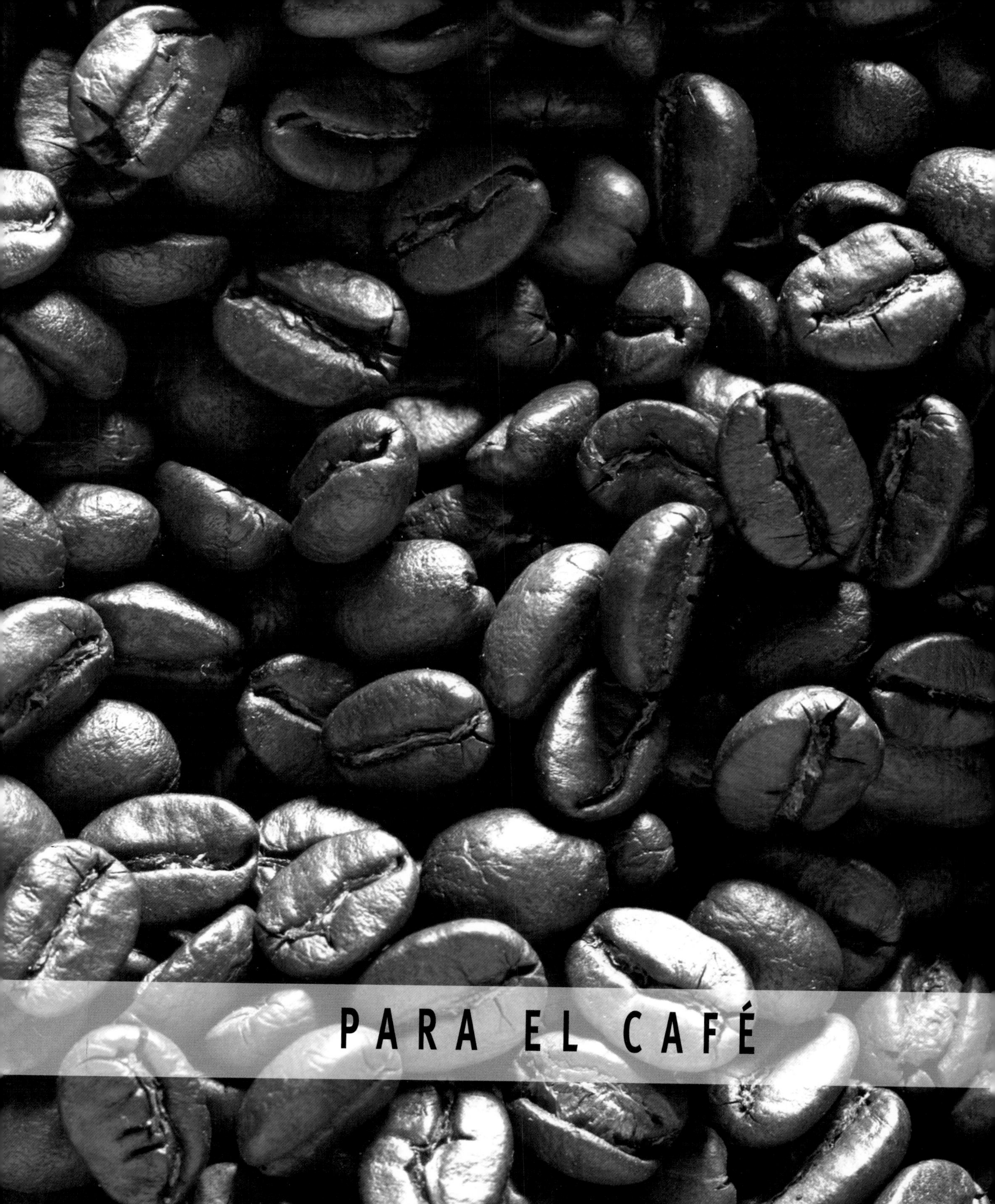

PARA EL CAFÉ

Chorreadas

INGREDIENTES PARA
8-10 UNIDADES MEDIANAS

6 **elotes**
4 **huevos**
1/8 de cucharadita de **sal**
3 cucharadas de **azúcar**
Aceite vegetal

1. Ralle los elotes o desgránelos y lícuelos.

2. Mézclelos con los demás ingredientes.

3. Ponga un poco de aceite en un sartén de teflón y vierta la mezcla por cucharadas; déles vuelta en cuanto se vean doradas. Usualmente se comen calientes.

Se acostumbra acompañarlas con queso fresco saladito y/o natilla.

Queque de banano

INGREDIENTES PARA
16 PORCIONES

9 **bananos** maduros
1/2 taza de **margarina**
1 taza de **azúcar**
2 **huevos**
1 taza de **leche**
2 tazas de **harina**
4 cucharadas de **polvo de hornear**
1 cucharada de **clavo de olor** en polvo
1 cucharada de **nuez moscada** en polvo
1 cucharadita de **vainilla**
1 taza de **nueces**

1. Precaliente el horno a 350 °F.

2. Maje los bananos con la margarina y el azúcar.

3. Aparte, cierna (tamice) la harina con el polvo de hornear.

4. Ponga los huevos en la batidora hasta que crezcan un poco y luego agrégueles el puré de bananos, la leche, la vainilla y poco a poco los ingredientes secos. Las nueces se agregan al final, enharinadas y con movimientos envolventes.

5. Vierta la mezcla en un molde de pan o de queque de chimenea engrasado y hornée a 350 °F por una hora. Deje enfriar por 20 minutos, desmóldelo y déjelo enfriar completamente antes de tajadear.

Tortillas con queso

INGREDIENTES PARA 10-12 UNIDADES MEDIANAS

2 1/2 tazas de **harina de maíz** blanco
Agua, Sal
1 taza de **queso fresco** para derretir (rallado)
Aceite vegetal

1. Ponga la harina en una fuente honda, vaya agregando pocos de agua al mismo tiempo que mezcla con la mano (amasando), hasta obtener una masa homogénea, húmeda, no pegajosa.

2. Agregue el queso y mezcle bien.

3. Ponga a calentar un comal de acero o un sartén de teflón, aplique aceite con una servilleta, la temperatura ideal se logra cuando al echar unas gotas de agua quedan bailando por unos segundos.

4. Forme bolas de dos pulgadas de diámetro aproximadamente, colóquelas entre papel encerado o plástico, májelas con un plato y termine de extender y formar la tortilla con los dedos, hasta llegar a un grosor de 4 mm, lo más parejo posible.

5. Colóquela entre las dos manos extendidas y ponga al fuego poniendo primero el centro y luego los lados simultáneamente (para evitar que quede aire atrapado), déjela un minuto y voltéela, revísela constantemente hasta que aparezcan puntos dorados. Sirva inmediatamente.

Budín de elote

INGREDIENTES PARA 12 PERSONAS

3/4 taza de **margarina**
6 **elotes**
1 1/3 tazas de **azúcar**
2/3 taza de **harina de trigo**
1 cucharada de **polvo de hornear**
4 **huevos**
700 gr de **queso fresco**
1/8 de cucharadita de **sal**

1. Ralle los elotes o desgránelos y licúelos.

2. Bata los huevos y agrégueselos a los elotes.

3. Aparte derrita la margarina y mezclela con la harina, el azúcar, la sal y la mezcla anterior. Agregue el queso rallado y el polvo de hornear.

4. Vierta en un molde refractario engrasado y enharinado, hornée a 177 °C (350 °F) hasta que dore (1 hora y 20 min. aprox.).

BÁSICAS

Arroz blanco

INGREDIENTES PARA 5 TAZAS

2 tazas de **arroz** lavado
3 tazas de **agua** caliente
1 **cebolla** picada fina
1/2 **chile dulce** picado fino
1 tallo de **apio,** picado fino
5 dientes de **ajo,** picados fino
3 cucharadas de **aceite**
1 1/2 cucharadita de **sal**

1. Ponga el aceite a calentar en una olla y agregue la cebolla, el chile dulce y el apio, una vez cristalizados agregue el ajo, deje un minuto más y añada el arroz escurrido, fría con la mezcla de olores hasta que se vea un poco dorado.

2. Agregue el agua caliente y la sal, tape y deje hervir y absorber toda el agua.

3. Una vez suave y reventado el arroz, quite del fuego y mueva con una cuchara, tape y deje un rato más.

El arroz es uno de los acompañamientos o guarniciones más comunes en nuestra gastronomía. Constituye en muchas ocasiones la, o una de las harinas que integran un platillo balanceado, como el "casado". A partir de éste se preparan otros como el gallo pinto o los "arroces con...", ejemplo de ello son el arroz con pollo, el arroz jardinero, el arroz con cerdo, arroz con palmito, etc. Incluso sirve como base para muchos platillo dulces, como el arroz con leche, torta de arroz al horno, etc.

Salsa de tomate

INGREDIENTES PARA 4 TAZAS

5 **tomates** pelados, sin semillas y rallados
1 **cebolla** picada
1 tallo de **apio,** picado
5 dientes de **ajo,** picados
3 hojas de **orégano**
1 hoja de **laurel**
3 cucharadas de **aceite**
1 1/2 cucharadita de **sal**
3/4 cucharadita de **azúcar**

1. Ponga a freír en el aceite caliente, la cebolla, el chile dulce y el apio, déjelos cocinarse un poco y agregue los ajos.

2. Agregue los tomates, condimente (sal, azúcar, orégano y laurel) y deje que se cocinen un rato a fuego medio.

3. Si lo desea se puede licuar la salsa.

Frijoles

INGREDIENTES

500 gr. de **frijoles**
2 **cebollas** picadas
2 **chiles** dulces rojos picados
1 cabeza de **ajos** picados
6 hojas de **orégano**
2 tallos de **apio** picado fino
3/4 de taza de **culantro** picado fino
Agua y **sal**

1. Deje los frijoles en agua la noche anterior. Escúrralos y enjuáguelos.

2. Póngalos con todos los ingredientes en la olla de presión y llénela de agua hasta sobrepasar los cuatro dedos.

3. Póngalos a fuego alto, cuando empiece a salir vapor de la olla se les baja el fuego un poco y se dejan cocinar por 30 minutos.

Frijoles arreglados

INGREDIENTES PARA 4 1/2 TAZAS

3 tazas de **frijoles** cocinados (según indicaciones de la receta anterior)
2 **cebollas** picadas
1 **chile dulce rojo** picado
7 **dientes de ajo** picados
1 **tallo de apio** picado fino
3/4 de taza de **culantro** picado fino
1 **tomate** pelado, sin semilllas y rallado
1/4 de taza de **margarina**
2 cucharadas de **aceite vegetal**
Salsa inglesa y **sal**

1. Ponga a derretir la margarina con el aceite, agregue la cebolla, el chile y el apio, déjelos cristalizar y agregue el ajo, el culantro y el tomate, deje cocinar hasta que el tomate se seque un poco.

2. Agregue los frijoles casi sin caldo, la salsa inglesa y la sal, moviendo de vez en cuando para que no se peguen, déjelos en el fuego lo necesario para que se sequen al gusto.

3. Si se desea se pueden majar un poco los frijoles con una cuchara de palo, contra las paredes de la olla o sartén, para ayudarles a espesar más rápido.

Los frijoles puede ser indistintamente rojos o negros, sin embargo, tradicionalmente se utiliza más el frijol negro. Los frijoles cocinados se acostumbra comerlos como sopa negra, agregándoles huevo duro, queso o incluso aguacate. Los frijoles arreglados son parte del típico casado, del gallo pinto, y los molidos se usan para un sin número de recetas, desde sólos, en boquitas, acompañando unos patacones y hasta como parte de los piononos de plátano maduro.
Es básico en la alimentación del costarricense, constituye la base de muchísimos de sus platillos más tradicionales.

Glosario

Achiote: Colorante natural de color rojizo para los alimentos. Es similar a páprika y buena fuente de vitaminas.

Barbudos: Huevos revueltos junto con vainica.

Bistec: Corte de carne de res, del inglés "Beefsteak"

Boca: Nombre costarricense para referirse a los aperitivos.

Cajeta: Un dulce de consistencia sólida y quebradiza.

Carambola: Fruta tropical con forma de estrella usada para hacer refrescos naturales.

Casado: Plato típico costarricense que se sirve especialmente en el almuerzo. Compuesto principalmente de arroz, frijoles y algún tipo de ensalada y carne.

Chilero: Mezcla principalmente de chiles picantes.

Chorizo: Tipo de salchicha de cerdo.

Chorreadas: Pan-queques de maíz.

Gallo: Nombre costarricense para referirse a una tortilla rellena con algún picadillo u otra comida.

Gallo Pinto: Nombre del desayuno tradicional de Costa Rica. Es una combinación de arroz y frijoles.

Guacamole: Puré hecho de aguacate.

Guineo: Pequeña banana verde.

Jalapeño: Variedad de chile picante.

Patacones: Plátano verde, cortados en forma circular, machacado y luego frito.

Pejibaye: Fruta de una variedad de palma que luce como un coco pequeño que cabe en la palma de la mano.

Picadillo: Plato que se caracteriza por ser hecho de pequeños trozos de verduras o legumbres

Resbaladera: Bebida tradicional de consistencia resbalosa.

Sopa Negra: Es una sopa de frijoles negros con un huevo hervido.

Torta: Carne molida preparada como si fuese para hamburguesa.

Índice de recetas